Er zijn acht boeken over De Toverlamp:

Het Monster

De Raket

De Witte Ridder

De Schat

De Draak

De Geheime Toren

Het Spookschip

Bij de Dino's

Actuele informatie over Kluitmanboeken kun je vinden op www.kluitman.nl

Bij de Dino's

Tekst en tekeningen

Harmen van Straaten

LEES N!VEAU

		ME	ME	ME	ME	ME	ME	
AVI	S	3	4	5	6	7		P
CLIB	S	3	4	5	6	7	8	P

Avontuur | Magie

Toegekend door Cito i.s.m. KPC Groep

Oude systeem: AVI 4
Zie verder: www.kluitman.nl/educatie

Nur 287/EUR090901
© Uitgeverij Kluitman Alkmaar B.V.
© MMIX tekst en tekeningen: Harmen van Straaten
Omslagontwerp: Design Team Kluitman
Opmaak binnenwerk: Marieke Brakkee

www.kluitman.nl

De grot

Ruben en Mart zijn met vakantie.
Ze zijn goede vrienden.
Eerst waren ze buren,
maar Mart is verhuisd.
Toch zien ze elkaar nog vaak.
Nu mocht Ruben mee,
met Mart en zijn ouders.
De ouders van Mart slapen in de caravan.
Ruben en Mart hebben een eigen tent.
Het regent alleen de hele tijd.
Ze zakken zowat weg in de modder.
Het zwembad ligt er leeg bij.
Daar hebben ze nu niks aan.
En dus gaan ze vandaag naar een grot.
Daar leefden ooit mensen in.
Heel lang geleden, in de prehistorie.
Toen leefde de mammoet nog.
Er zijn oude tekeningen van in de grot.
De mammoets zijn nu uitgestorven.
Best jammer, vindt Ruben.
Hij is gek op mammoets, en dino's.

7

Bij de grot is een slagboom.
Op een bord staat iets in een andere taal.
'Het is dicht,' zegt Marts moeder.
'Iets met een verbouwing.'
'Vette pech,' roept Mart.
'Zeg dat wel,' vindt Ruben.
'Zwembad dicht, grot dicht...'
'Het café is wel open,'
zegt Marts vader.
'Maar jullie lusten vast niets.'
'Echt wel,' roepen de jongens.
'Ik kan zo een mammoet op!'
zegt Mart.
Ruben wrijft over zijn buik.
Bij de deur staat een man.
Hij lacht naar Ruben.
Ruben rilt ervan.
De man is best wel eng.
Dat komt ook door
zijn gouden tand.

8

De enge man

Achter het café is een klein museum.

Ruben en Mart kijken hun ogen uit.

Op de muren zijn mammoets geschilderd.

In een glazen kast liggen botten.

Ze zijn heel groot.

'Vast van een dino,' zegt Ruben.

Ze horen een kuchje.

Ruben kijkt om.

Daar is die vent weer, met zijn gouden tand.

Wat moet die man?

'Mooi hè, mammoets...'

De man spreekt Nederlands!

'Geef mij maar dino's,' zegt Ruben.

De man lacht weer.
Zijn gouden tand blinkt.
Hij pakt iets uit zijn zak.
Het is een ketting.
Er hangt een rond ding aan.
De man hangt de ketting
om Rubens nek.
'Dus jij wilt naar Dinoland?'
zegt hij.

'Hiermee komt je wens uit.
Het is een toverlamp.
Wrijf er drie keer over en...'
'En wat dan?' vraagt Mart.
'Dat merk je wel.'
De man lacht weer, heel hoog.
'Ik zie je in Dinoland,' zegt hij nog.
Dan loopt hij de deur uit.
Ruben kijkt naar Mart.
Die tikt tegen zijn voorhoofd.
Dinoland?
Wie gelooft daar nou in?

De wens

Mart en Ruben zitten in de tent
en kijken in een boek over dino's.
Ze weten precies hoe elke dino heet.
'Jammer hé,' vindt Mart.
'Dat we nu leven, en niet toen.'
'Toen had je nog geen mensen,'
zegt Ruben.
'Dan was je een aap geweest.'
'Die waren er ook nog niet,'
weet Mart.
Hij doet een aap na.

Ze lachen.
De vader van Mart komt kijken.
'Slapen jullie nou nog niet?'
Mart doet weer een aap na.
'Apenkop,' zegt zijn vader.
Ruben gaapt.
'Slaapkop zul je bedoelen,' roept Mart.

Even later is het stil in de tent.
Mart slaapt al.
Maar Ruben nog niet.
Buiten klinkt geluid.
Een dier zeker.
Dan voelt Ruben iets in zijn slaapzak.
Wat zou dat zijn?
Hij haalt het eruit.
Het is de ketting.
Die was hij vergeten.
Hij had hem vanmiddag afgedaan.
De maan verlicht de tent.
Ruben kijkt naar de hanger.
Er staat een gek teken op.
Ruben draait hem om.
Daar ziet hij een toverlamp.
Wat zei die man ook alweer?
'Wrijf drie keer
en je bent in Dinoland.'
Ruben grinnikt.
Ja hoor!
Dat gelooft hij dus echt niet.
Toch wrijft hij drie keer.

Niks.

Moet hij soms ook een wens doen?

'Ik wou dat ik in Dinoland was,'

zegt hij zacht.

'Is er wat?' bromt Mart.

'Nee hoor,' zegt Ruben snel.

Mart vindt het vast kinderachtig,

dat hij in zulke onzin gelooft.

Hij gooit de ketting in een hoek van de tent.

Marts vader zegt dat morgen de zon schijnt.

Niks Dinoland, lekker naar het zwembad!

Ruben kruipt diep in zijn slaapzak.

Dinoland

'Word wakker!' hoort Ruben.
'Laat me slapen,' zegt hij sloom.
Hij wil Mart een por geven.
Iemand schudt hem heen en weer.
Hij doet zijn ogen open.
Het is Mart niet!
Boven hem zweeft een man.
Hij heeft een gouden tand.
'Jouw wens is mijn bevel,' zegt hij.
'Hè, wat? Wie ben jij?' vraagt Mart.
Hij is nu ook wakker geworden.
'Ik ben de geest van de toverlamp.
Je vriend wreef drie keer.
Hij wenste dat hij in Dinoland was.
Nou, Dinoland zal hij krijgen.'
Mart kijkt Ruben vragend aan.
'Ik vond die ketting weer,' zegt Ruben.
'Toen heb ik er drie keer over gewreven.
Gewoon voor de lol.'
'Juist,' roept de geest.
'Maar ik ben geen grap, hoor.'

De geest doet de tent open.
Ruben kijkt naar buiten.
De camping is weg!
Ze zijn aan de rand van een oerwoud.
Er vliegen grote beesten in de lucht.
Ook een soort dino's, weet Ruben.
In de verte zien ze nog meer dino's.
Hun lange nekken steken boven alles uit.
'Diplodocus,' zegt Mart zacht.
'Wauw!' roepen ze alle twee.
Ze slaan met hun handen tegen elkaar.
Dit is mooier dan in de boeken.
Dit is echt!

De geest is voor de tent gaan staan.
'Welkom in Dinoland.
Ik ga er vandoor, toedeledokie.'
Dan vliegt hij weg.
Mart en Ruben kijken om zich heen.
Voor de tent lopen drie kleine dino's.
Mart kijkt een beetje bang.
'Rustig maar,' zegt Ruben.
'Die eten alleen planten.'
Dan vraagt hij: 'Zullen we gaan?'
'Nu?' antwoordt Mart.
'Ik ga niet wachten,'
zegt Ruben.
'Op wat?' vraagt Mart.
Ruben wijst. 'Op hem.'

Er komt een heel grote dino aan.

Hij loopt recht op de tent af.

'Ik laat me niet plat stampen!'

'Ik ook niet,' gilt Mart.

Ze rennen de tent uit, naar het veld.

Als ze ver genoeg weg zijn, kijken ze om.

De dino is nu bijna bij de tent.

Hij gaat er met een poot op staan.

Weg is de tent.

Gevaar

Ruben en Mart kijken naar de dino's.
Mart ziet een triceratops.

'Zou je op zijn rug kunnen?' vraagt hij zich af.
Ruben twijfelt.
'Of durf je niet?' vraagt Mart.
'Best wel,' zegt Ruben.
Net zag hij een dino een andere aanvallen.
Die at dus niet alleen maar planten…
Ruben deed zijn ogen dicht.
Hij heeft wel eens een film over dino's gezien.
Dat leek net echt, maar was het niet.
Dit is even wat anders, dit is echt.

Opeens horen ze een hoge kreet.
De jongens draaien zich snel om.
Als verlamd blijven ze staan.
Er stormt een troep dino's op hen af.
Deze kennen ze wel, heel goed zelfs.
Het zijn velociraptors.
Hun tanden zien er eng uit.
Net als hun gemene klauwen.
'Hou je stil,' zegt Ruben.
'Anders denken ze dat we een prooi zijn.
Ik wil niet als lekker hapje eindigen.'
Ruben en Mart zijn echt in gevaar.

Nog enger

Ruben en Mart staan vlak bij elkaar.
De enge monsters sluipen om hen heen.
Rubens hart bonkt.
Het gaat als een drumstel tekeer.
Mart wijst naar een boom.
Ruben knikt.
Zouden ze daar veilig zijn?
Hoe snel zijn die beesten?
En kunnen ze klimmen?
Een van de dieren brult hard.
Ruben ziet dat Mart bleek wordt.
Een andere dino brult nu ook.
Dan rennen de dino's opeens weg.
Ruben kijkt Mart aan.
Wat zou er zijn?
Vast niet veel goeds...
Mart begint te rennen.
Ruben gaat achter hem aan.
Even later zitten ze hoog in een boom.
Net op tijd.
Nu zien ze waar de dino's voor vluchtten.

Er komt een eng monster aan.

Ruben en Mart trillen.

Het is een heel gevaarlijke dino.

Hij vreet alles op wat beweegt.

De tyrannosaurus rex.

Hij heeft vast honger.

En hij is bijna zes meter groot.

Gelukkig is hun boom heel hoog.

En nou maar hopen dat hij hen niet ziet.

'Waren we maar in de tent,' fluistert Ruben.

Mart is boos. 'Je wordt bedankt.'

'Hoezo?' vraagt Ruben.

'Jij hebt de wens gedaan,' zegt Mart.

'En nu zitten we hier.'

'Jij wilde dit toch ook?' zegt Ruben boos.

'Dat zei je zelf.'

'Ja, voor de grap,' bromt Mart.

'Omdat het toch niet kan.'

'Nou, het kan dus wel,' zegt Ruben.

Hij denkt na.

Hoe komen ze hier weer weg?

Aan de geest hebben ze niks.

Die is hem gesmeerd.

Ruben kijkt naar de tent.

Die ziet er erg plat uit.

Maar wacht eens even...

In de tent ligt de ketting.

Als hij die te pakken krijgt,

kan hij een wens doen.

Terug naar de saaie camping en

dino's die alleen in boeken staan.

Dat moet hij doen!

Naar de tent en de ketting pakken.
Maar eerst moet dat beest weg.
Want die staat tussen hen en de tent in.

Een list

Er zweven nu ook beesten boven hun hoofd.
Uit een berg komt rook.
'Een vulkaan,' zegt Mart.
Het is heet.
Ruben veegt het zweet van zijn hoofd.
Hij vertelt Mart over zijn plan.
'Hoe komen we in de tent?' vraagt Mart.
'We moeten hem afleiden,' zegt Ruben.
'Dan kunnen we naar de tent rennen.
Maar hoe?'

Mart plukt een grote rode harde bes.
Zonder na te denken schiet hij hem weg.
De bes raakt de kop van de dino.
Die denkt dat een vliegdino hem pikt.
Hij bijt naar het beest.
'Ja!' roept Ruben. 'Dat is het!'
Hij pakt ook een bes en schiet hem weg.
Mart doet mee.
Ze schieten de ene na de andere.
De T-rex hapt naar alle kanten.
Verder merkt hij niets meer.

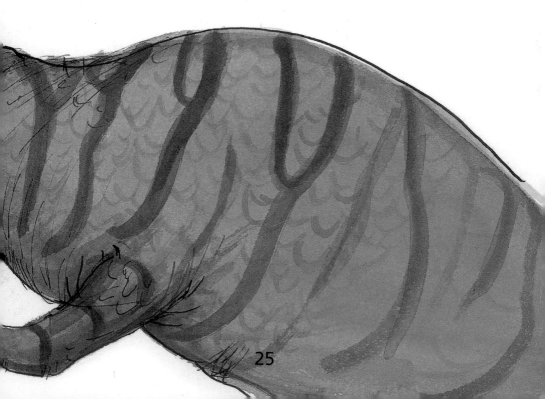

'Kom,' zegt Ruben.
'Het is nu of nooit.'
Ze klimmen van tak naar tak.
'Au!' Ruben schaaft zijn arm.
Even later staan ze op de grond.
Rubens benen trillen.
'Als ik ja zeg: rennen!'
Hij kijkt om zich heen.
De dino ziet hen niet.
'Ja!' roept hij.

Daar is de tent.

Nu nog de ketting.

Drie keer wrijven, een wens doen en...

Hopen dat het lukt.

Mart zoekt al onder het doek.

'Ik heb hem,' roept hij.

Hij wrijft over de hanger.

'Kijk uit,' roept hij bang. 'Daar...'

Ruben kijkt achter zich.

Daar is de T-rex.

Hij doet zijn bek wijd open.

Hij springt op Ruben af.

'Help,' gilt die nog.

'Doe snel een wens.'

Maar het is te laat.

Het wordt zwart voor zijn ogen.

Nepmonster?

'Help,' gilt Ruben weer.
Hij doet zijn ogen open.
Waar is hij?
Mart zit boven op hem.
Dan ziet Ruben dat hij in de tent is.
Die staat nog gewoon rechtop.
'Waar is de T-rex?' roept hij.
Mart kijkt hem met grote ogen aan.
'Huh?' zegt hij. 'Jij ook?
Ik droomde net van een T-rex.
Hij zat achter ons aan.'
'Dat is gek,' zegt Ruben.
Hij is nu klaarwakker.
'Die droom had ik ook!
De tent was plat.'
Ze rillen alle twee.
Was het dan toch niet echt?
Ruben kijkt naar zijn arm.
Daar zit een schaafplek.
Maar als het niet echt was,
hoe komt hij daar dan aan?

Daar is de vader van Mart.
Hij steekt zijn hoofd in de tent.
'De zon schijnt!
Kom, we gaan zwemmen.'

Even later zitten de jongens bij het
zwembad.
Ruben stoot Mart aan.
'Zullen we nog een wens doen?'
Mart knikt. 'Vanavond?
Maar eh…
Ik hoef niet per se naar Dinoland.'
Ruben knikt. 'Ik ook niet.'
'Kijk!' roept Mart.
'Daar heb je die engerd.
Je weet wel, van de ketting.'
Ruben ziet hem nu ook.
De man lacht.
Zijn tand blinkt door de zon.
Hij zwaait met iets.
Het is de ketting, zien ze.
Dan rent de man snel weg.